꿈꾸는 제주도

꼬마작가 책 만들기 프로젝트

꿈꾸는 제주도

김규리

김도연

김민선

박하윤

백하린

안소윤

윤성빈

이자벨 매튜스

조우석

최시온

책쓰는밤

차례

#김규리

BHA G1

안녕하세요. 저는 여덟 살이에요. 저는 아빠랑 노는 게 좋습니다. 제가 좋아하는 동물은 수달입니다. 제가 생각하는 책 만들기는 아주 좋은 책을 만드는 것입니다. 저는 지금 제주도에 살고 있습니다. 부산이랑 순천에도 집이 있지만, 이제는 제주도에도 집이 있습니다. 저는 제주에서 여자 동생도 생겼습니다.

제주도로 간 수달

   '프라운'이라는 나쁜 해적이 있는데 그 해적이 모르고 보물지도를 날려보냈어요.

   지나가던 수달 '수라'가 이 보물지도를 우연히 발견하고 보물을 찾으러 떠나기로 했어요.

   보물이 있는 곳은 제주도였어요.

   수달은 배를 타고 제주도로 갔어요.

   황금 보물이 있는 곳을 찾았어요.

   황금 보물은 없었어요. 프라운이 이미 가져갔어요.

   그런데 수달은 너무 신나서 보물이 있는 곳에 오다가 지도를 잃어버렸어요.

"나 집에 어떻게 가지?"

수달은 지도가 없어서 집에 가는 길을 몰라요.

수달은 제주도 바다에서 수영을 하면서 지냈어요.

서울 보다 제주도가 더 좋았어요.

수달은 수영을 좋아했어요.

어느 날 나쁜 해적 프라운이 수달 집에 보물지도가

있다는 소문을 듣고

찾아갔어요. '똑똑' 문을 두드려도 아무도 없었어요.

수달은 수영을 하러 가서 집에 없었거든요.

그래서 프라운은 문을 망치로 '쾅' 부수고 들어갔어요.

프라운은 집 여기저기를 뒤져서 지도를 찾았어요.

하지만 지도는 없었어요.

프라운은 수달이 집에 올 때까지 기다렸어요.

수달이 수영을 하고 집에 왔어요.

문이 부서져 있어서 엄청 놀랐어요.

"앗 도둑이 들어왔나!"

집에 얼른 들어가 보니 나쁜 해적 프라운이 서있었어요.

"꺅 네가 왜 여기 있냐?"

그랬더니 프라운이 말했어요.

"네가 내 보물지도를 갖고 있다며?"

수달은 말했어요.

"아니야 나도 지도를 잃어버렸어..

그렇다고 내 문을 부수고 들어가면 어떡해."

사실 황금 보물 상자를 열려면

친구를 만들어서 보물지도와 함께 열어야 해요.

그래서 프라운은 수달과 친구가 되고 싶은 거예요.

프라운은 수달에게 말했어요.

"친구가 되자!"

수달은 "알겠어. 그럼 부서진 문은 우리가 같이 고치자."

프라운과 수달은 문을 고치고 보물지도를 찾으러 나가요.

그런데 이때 보물지도가 문 앞으로 날라왔어요.

프라운과 수달은 보물지도를 가지고 서울로 갔어요.

수달은 보물이 프라운에게 있는 걸 몰라요.

프라운은 수달에게 말했어요.

"보물지도를 꺼내봐."

수달이 보물지도를 꺼내자 프라운은 보물 상자를

꺼냈어요.

보물 상자가 열리고 프라운의 보물 상자에게는 진정한

친구가 되는 보물이 있었고 수달의 보물 상자에는 진정한

친구와 같이 사는 보물이 있었어요.

"우리 이제 친구니까 같이 살자!"

프라운과 수달은 이제 같이 서울에서 살아요.

그리고 프라운은 그 선물을 받아서 친구가 생기고 착해

지고 나쁘지 않아요.

#작가의 말

저는 이 글을 만들면서 프라운과 수달이 친구가 되면 좋겠다고 생각했습니다.

왜냐하면 친구는 좋은 거니까요.

프라운이 수달을 만나서 좋은 사람이 됐으면 좋겠습니다.

그리고 이 책이 잘 팔리면 좋겠습니다.

마법사와 꿈의 나무

나는 규리야.

나의 꿈의 나무를 보고 싶니?

만약 내 마음에서 꿈의 나무가 사라지면, 나에게는

오직 힘들고 무서운 일들만 많이 생길 거야.

헉! 꿈의 나무를 가져가려는 마법사가 왔어.

실은 우리 아버지도 아버지의 아버지도 아버지의 아버지의 아버지도 마법사였어.

나쁜 마법사들이 나를 괴롭힐까 봐 나를 지켜주려고 아버지가 내 강아지 올리버를 만들어 주셨어.

"꼼짝 마라!"

어디서 목소리가 들려왔어.

올리버였어.

올리버는 갑자기 나쁜 마법사에게 레이저를 쏘았어.

나쁜 마법사는 쓰러지며 "으…. 살 려 줘…."라고 말했어.

이때 나쁜 마법사의 부하들이 나타나서 나쁜 마법사에게 주스를 줬어.

나쁜 마법사를 살리려고 한 건데, 주스 안에 잠이 들게 하는 약이 들어있어서 그만 잠이 들고 말았어.

부하들도 올리버가 쏜 레이저를 맞고 쓰러졌어.

아빠는 며칠 전에 나쁜 마법사가 꽁꽁 묶어서 성으로 데리고 갔었어.

그래서 이제 아빠를 구하러 그 나쁜 마법사의 성으로 가
야 해.

"가자, 올리버!"

마법사의 성에 도착했어.

"억, 갑자기 뭐가 날아온다." 그것은 박쥐들이었어.

이제부터 아빠 구출작전 시작이다!

#작가의 말

저는 너무 재미있어서 글을 또 썼어요.
책을 만드는 게 너무 좋아요.
아빠 구출 작전은 무사히 잘 될까요? 여러분도 상상해 보세요.

#김도연

NLCS Jeju Y4

안녕하세요.

'미래의 도연이' 작가 김도연입니다.

저는 우리 가족인 엄마, 아빠, 동생 재연이, 할머니, 할아버지가 제일 소중하다고 생각하고요. 아기 동물을 좋아합니다. 귀여우니까요.

저는 미술을 좋아합니다. 저는 핸드폰이 있습니다. 핸드폰으로 게임을 하는 것과 유튜브 보는 것을 좋아합니다. 우리 외숙모는 제가 원하는 걸 다 사줍니다. 그래서 외숙모가 좋습니다.

제 글과 그림을 많이 좋아해 주세요.

미래의 도연이

나는 제주에 살고 있습니다.

재미는 쫌 없지만, 재밌을 때도 있어요.

오늘도 학교에 가서 하루를 잘 보내고 집에 왔어요.

"엄마, 나 안 졸려. 나 안 자면 안 돼?"

"내일 학교 가야지, 빨리 자!"

매일 밤 엄마가 먼저 잠들고, 동생 재연이가 잠이 들면 나도 잠이 들어요.

"아, 잘 잤다."

그런데 집에는 아무도 없었어요.

엄마, 아빠도 재연이도요.

"어 어디 갔지 다들?"

집 안을 헤매다가 거울을 봤어요.

"내가 어른이 됐다고? 으악!"

이때 옆방에서 누군가 나오며 말했어요.

"너 왜 소리 질러? 잠 깼잖아"

"너 누구야?"

"누구냐니 우리 아이돌 그룹 멤버 미소잖아."

'내가 아이돌이 아니라고 하면 모두들 당황하겠지?

그냥 맞는다고 해야겠다.'

나는 유명한 아이돌 그룹 '해피드'의 리더라고 한다.

오늘은 방송이 있는 날이다.

멤버들과 함께 메이크업을 받고 의상을 입고 무대에 나섰다.

우리가 대상을 받았다.

너무 기분이 좋았다. 방송국 앞에는 팬들이 엄청 많고, 기자들도 많았다. 우리는 팬들이랑 같이 사진도 찍고, 사인도 해줬다.

많은 팬들을 보니 너무너무 재밌고 행복했다.

멤버들과 숙소에 도착해서 팬들에게서 받은 선물들을 신나게 열어보았다.

핸드폰 케이스, 다이어리, 슬리퍼 등등 모두 다 예뻤다.

우리는 피곤해서 각자 방에 들어가서 잠이 들었다.

일어나 보니 멤버들은 없고 우리 가족들만 있어서 나는
몹시 당황했다.

"엄마, 내 대상 트로피는 어딨어?"

"무슨 소리야. 네가 대상을 언제 받았다고 그래?"

"그게 다 꿈이었던 거야?"

내 꿈은 유명한 아이돌이 되는 거였다.

꿈에서 아이돌이 되고 보니 좋았다.

진짜 커서 유명한 아이돌이 돼야지.

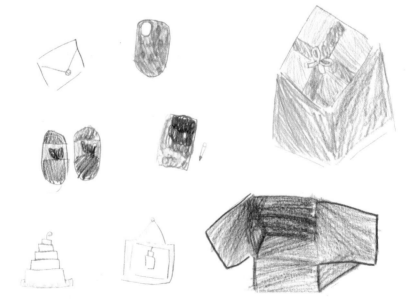

#작가의 말

내가 이 글을 쓴 이유는 미래에 아이돌이 된 내 모습이 궁금해서야. 글을 쓰고 그림을 그리며 너무 기뻤어. 특히 대상 트로피를 그리고 사인을 그리며 진짜 내가 대상을 받은 것 같아서 정말 정말 좋았어. 내 글과 그림을 많이 많이 사랑해 줘.

#김민선

KIS Jeju G3

안녕하세요? 제 이름은 김민선입니다. 저는 2014년 9월생입니다. 나는 제주에서 KIS 학교를 다녀요. 나는 남동생이 있습니다. 이름은 김동영인데 아주 이상합니다. 함께 정한 게임룰을 맨날 어깁니다. 저는 그림 그리는 것을 가장 좋아합니다. 저는 광주에서 태어났습니다. 지금 생활하고 있는 제주도 좋고, 광주도 좋지만 제주가 더 좋습니다. 왜냐하면 제주에는 할게 정말 많거든요.

우리는 동물 가족

내 아빠를 동물로 표현한다면 바다코끼리다.

예전에는 없었다고 하지만 뱃살이 많고 수영하는 것을 좋아하기 때문이다. 그러니까 아빠는 딱 바다코끼리다.

아빠는 빨간색을 좋아한다. 하지만 옷은 흰색을 많이 입는다. 아빠를 생각하면 가방, 자동차, 선글라스, 핸드폰이 함께 생각난다.

왜냐하면 어디를 갈 때마다 가방, 자동차, 선글라스, 핸드폰을 꼭 챙기고, 특히 화장실 갈 때는 핸드폰을 꼭 가지고 가신다.

내 엄마를 동물로 표현한다면 강아지다.

냄새를 잘 맡으신다. 언젠가 밖에서 무언가가 타고 있었는데 그 냄새를 엄마가 제일 처음 맡으셨다.

엄마가 좋아하는 색은 초록색이다. 우리 엄마는 초록 원피스를 입었을 때가 가장 예쁘다.

엄마도 핸드폰을 항상 갖고 다니신다.

내 동생 동영이를 동물로 표현한다면 원숭이다.

왜냐하면 웃기고 말이 안 통할 때가 있기 때문이다.

갑자기 나타나서 말도 없이 몸으로 무언가를 설명하기도 하고, 체스를 두다가 우기기도 하고, "누나" 하고 부르고 "메롱" 하고, 내 귀에 대고 소리를 꽥! 질러 놀래기도 한다. 그래서 딱 원숭이다.

동영이는 주황색을 좋아한다. 그리고 파란색 옷을 좋아한다.

#작가의 말

안녕하세요? 전 이 글을 쓴 김민선입니다. 전 이 글을 쓰고 나서 가족에 대해 더 많이 알게 되었습니다. 가족을 떠올리면 생각나는 소품들에 대해서도 알게 되었습니다.

이런 가족을 떠올리면 앞으로의 제주 생활이 더욱더 기대됩니다.

#박하윤

SJA Jeju G5

안녕하세요.

저는 제주도에 사는 열한 살 박하윤입니다. 저는 상상하는 걸 엄청 좋아합니다. 상상을 하면 기분이 좋아지기 때문입니다. 그래서 그런지 이번 이야기도 제가 상상한 이야기를 바탕으로 만든 이야기입니다. 재미있게 읽어주세요!

제주 돌담 이야기

이 이야기는 아주 먼 미래에 일어날 아주 신비한 이야기야. 때는 3531년이지.

기술의 진화로 지금은 AI와 같이 살고 있어.

모든 사람들은 행복해.

하지만 자연은 전혀 행복해하지 않아.

시간이 지나갈수록 늘어나는 플라스틱과 다른 쓰레기들 때문에 식물이 멸종된 지는 벌써 200년째야.

그런데 다른 곳과는 다르게 자연의 모습이 그대로 남아 있는 곳이 있어. 바로 대한민국의 섬, 제주도야. 제주도는 먼 과거 2023년의 모습이 그대로 보존되어 있어. 그 이유는 바로 제주 주민들의 도움 덕분이지.

제주의 가장 큰 산인 한라산에는 아직도 나무들이 빼곡

하게 차있고, 가는 도로마다 예쁜 꽃들이 피어있어. 전 세계 사람들은 그런 제주의 모습에 감탄을 숨기지 못해. 미국, 영국, 아프리카 전 세계에서 유명하다는 과학자들은 모두 제주도를 연구하러 제주에 와. 그리고 이제 제주도는 전 세계인 모두의 관광지가 되었어.

하지만 세상을 바꿀 사건이 제주도에서, 그것도 어린아이에 의해서 일어날지는 아무도 몰랐어.

3531년 6월 27일 윤하는 가족들과 함께 제주도에 여행을 왔어. 윤하는 오랜만에 예쁜 자연과 깨끗하고 맑은 공기를 마실 생각에 잔뜩 신이 나 있었어.

"엄마! 아빠! 이것 봐봐! 저기에 산이 있어."

윤하는 산을 보면서 부모님들에게 말했어. 잠시 후, 윤하와 가족들은 호텔로 갔어.

"윤하야. 엄마랑 아빠랑 잠깐 구경도 하고 밥도 먹으러 갔다 올게. 배고프거나 무슨 일 생기면 AI한테 부탁하고 아! 그리고 동생도 잘 보고 있어." 아빠가 말했어.

"응. 빨리 와" 윤하가 말했어.

1분, 3분, 5분, 그리고 1시간이 지났어. 윤하도 윤하 동생 은하도 자기만의 시간의 즐겼어. 하지만 문제는 5시간 뒤에도 엄마와 아빠는 돌아오지 않았다는 거야.

"언니, 엄마하고 아빠 언제 오는 거야?"

은하가 지겹다는 듯이 이야기했어.

"뭐 나도 모르지. 그럼 일단은 AI로 한번 전화해 볼까?" 윤하가 말했어.

'혹시 무슨 일이 생긴 건 아닐까?' 윤하는 동생 앞에서만 이라도 괜찮은 척을 하고 싶었지만 속으로는 걱정이 되었어.

"AI야 엄마한테 전화해 줘." 윤하가 소리쳤어.

'죄송합니다. 엄마의 휴대폰은 꺼져있습니다. 그럼 아빠한테 전화할까요?'

"응! 빨리 아빠한테 전화해 줘." 윤하는 점점 불안해지기 시작했어.

'죄송합니다. 아빠의 휴대폰은 꺼져있습니다. 다음에 시도해 주시길 바랍니다.'

"그럼 AI야. 엄마하고 아빠 위치 추적을 해줄 수 있니?"

윤하가 떨리는 목소리로 이야기했지.

잠시간 정적이 흘렀어.

그 순간!

'띠링. 찾았습니다. 여기 근처에 있습니다. 더 정확한 정보는 윤하의 사과 폰 151mini로 보내겠습니다.'

윤하는 다급하게 핸드폰을 집어 들었어.

"은하야. 언니가 잠깐 내려가서 엄마하고 아빠 있는 곳에 가볼게. 너는 아무 데도 가지 말고 여기에 그대로 있어야 돼. 혹시라도 무슨 일이 생기면 AI 보내." 윤하는 은하한테 신신당부했어. "싫어. 나도 갈래." 은하는 화난 목소리로 말했어. "알겠어. 그럼 내 뒤에서 잘 따라와." 윤하는 할 수 없이 은하를 데려가기로 했어.

윤하와 은하는 호텔 로비로 달려가 직원 AI한테 정확한 위치를 물어봤어. 그러고는 은하를 불렀어.

"은하야. 이제 가자." 하지만 아무 소리도 아무런 사람의 인기척도 들리지 않았어. 들리는 소리라곤 날아다니고 걸어가는 AI 로봇들의 소리 뿐이었어.

"은하야? 너 어디 있니?" 윤하는 소리쳤어. 주변을 둘러 봐도 은하는 보이지 않았어. 윤하는 호텔 밖으로 달려갔어.

그런데 저기 멀리 은하로 보이는 검은 형체가 달려가고 있었어. 윤하는 그 뒤를 쫓아갔어.

은하를 쫓아가 보는 어떤 외딴 제주의 낡은 집이 있었어. '여기 돌담을 넘어야 하나?' 윤하는 곰곰이 고민하다가 돌담을 넘기로 결정했어.

"악!!!!!!" 그 순간 윤하는 아주 깊은 곳으로 떨어지고 기절했어. 시간이 얼마나 지났을까? 윤하는 눈을 떴어. 그곳은 정말 예쁜 숲이었어.

천천히 보니까 그곳은 우리나라 대한민국 같았어. '여긴 어디지??' 윤하는 또다시 주변을 둘러봤어. 그 순간! 윤하

눈앞에 있던 숲에 이상한 사람들이 나타나더니 나무를 베기 시작했어.

　윤하는 그 사람들에게 여기가 어디냐고 물어보지도 못하고 그 상황을 지켜봤어. 시간이 지날수록 조금씩 사람들의 복장이 바뀌기 시작했어. 처음에는 도끼를 든 사람, 그 음은 기계, 그 다음은 AI들. 윤하가 지켜보니 시간이 빠르게 지나고 있는 것 같았어.

　시간이 지나면서 숲에 있는 나무들이 없어지고 건물들

이 지어지기 시작했어. 윤하는 점점 생각하기 시작했어. "이렇게 해서 자연이 없어진 거구나."

윤하는 어떻게든 이런 상황을 멈추고 싶었어. 그런데 어느 순간 점점 바뀌던 사람들의 복장은 시간이 지나도 바뀌지 않았어. 갑자기 인기척이 들려 뒤를 돌아보니 한 이상한 아저씨가 서 있었어.

그 아저씨는 엄청 키가 컸고 양복도 입고 있었어.

"이제야 아시겠습니까? 사람들은 정말 되돌릴 수 없는 잘못을 했습니다. 제주도만 이렇게 멀쩡했던 이유는 바로 제 덕분입니다. 저는 아주 먼 미래에서 왔습니다. 사실 제주도도 다른 세상들처럼 자연이 사라지고 없어졌었습니다. 하지만 제가 과거의 제주도 사람들에게 플라스틱 사용을 멈추고 자연을 아껴야 한다고 먼 미래의 사진을 보여줬습니다. 당신도 그렇게 세상을 되돌리기 바랍니다. 행운을 빕니다." 이상한 아저씨는 정말 진지하게 말했어.

'뭐지?' 다시 보니 아저씨는 없어졌어. '내가? 세상을 되돌리라고? 어떻게 하지?' 윤하는 곰곰이 생각해 봤어.

'아! 인터넷에 내가 사는 3531년의 상황을 알릴까?

내가 생각했을 때는 지금은 과거에 멈춰있는 것 같아.'

윤하는 생각했어.

"애야, 넌 어디에서 와서 이런 외딴 숲에 있니?" 이때 또 다른 한 아저씨가 윤하한테 물어봤어. "아.. 그건 잘 모르겠는데 혹시 지금이 몇 년도에요?" 윤하는 정말 다급하게 물어봤어.

그러자 아저씨는 꽤 당황하면서 "지금은 2023년이지. 참 이상한 아이네."

윤하의 핸드폰 날짜에도 2023년 6월 27일이라고 적혀 있었어. 윤하는 최대한 빨리 달렸어.

'일단은 산 밑으로 내려가야지.' 잠시 후 땀을 뻘뻘 흘리

던 윤하는 기겁을 하고 말았어. '건물이 왜 이렇게 낮지?'
윤하는 잠시 기분이 이상해지면서 숨이 가빠졌어. '여긴 어
디야? 설마 집으로 못 돌아가는 건 아닐까?' 윤하는 정신
을 차렸어. 그리고는 핸드폰을 집어서 인터넷에 미래의 상
황과 사람들이 어떻게 해야 하는지 글을 쓰고 사진을 올렸
어. 5분 후 윤하의 글에는 댓글이 엄청 많았어.

한국인부터 외국인까지, 찬성하는 글부터 반대하는 글
까지. 윤하는 한 개도 빠짐없이 다 읽어봤어. 점점 찬성하는
글이 많아지면서 이젠 아예 우리도 자연을 보호해야겠다는

의견만 있었지. 윤하가 뿌듯해하고 있는 사이, "잘하셨습니다. 당신의 도움으로 미래에는 지금과 달리 자연이 그대로 남아있을 것 같군요. 수고하셨습니다. 제가 생각했을 때 이제 남은 일은 돌아가는 일만 남은 것 같군요." 아까 본 그 이상한 아저씨는 또 와있었어. "네! 이제 제가 사는 곳으로 돌아가서 결과를 보고 싶어요." 윤하는 아저씨가 마음을 바꿀까봐 얼른 대답했어. 윤하는 가뿐한 마음으로 처음에 있던 곳으로 돌아갔어.

아저씨는 "이제 돌아갑니다."라고 말했어.

"근데요 아저씨는 누구고 뭐 하는 사람이에요?" 윤하는 참다 참다 너무 궁금해서 물어봤어.

"글쎄요, 굳이 설명하자면 저도 아마 선택 받은 사람이겠군요." 아저씨가 말했어.

선택 받은 사람이라고요?" 윤하는 궁금하다는 듯이 이야기했어.

"네, 당신도 선택 받은 사람이고요. 저도 당신처럼 세상을 구했어요. 저도 궁금해서 물어보니 천년에 한 번씩 사람을 선택해 지구를 구할 기회를 준다고 들었습니다. 물론 실패한 사람들도 많지만요." 아저씨는 대답했어.

"우리는 아니지만 임무를 실패한 사람들은 죄를 받는 걸로 알고 있습니다. 뭐 저희는 걱정할 필요는 없지만요. 그럼 이제는 진짜로 돌아갈까요?" 아저씨가 대답했어.

윤하는 왜 자신이 이런 임무를 한지에 의문이 들었지만 빨리 가족들을 만나고 싶다는 생각이 들어 그냥 참았어.

아까와 똑같이 사람들의 복장이 바뀌면서 윤하는 잠이 들었어.

눈을 떠보니 캄캄한 밤이었고 엄마와 아빠, 그리고 은하가 서 있었어.

"윤하야! 너 괜찮니?"

엄마와 아빠가 정말 걱정스럽게 이야기했어.

"네. 전 괜찮아요. 그리고 은하야! 넌 어디에 있었니?" 윤하가 퉁명스럽게 이야기했어.

"난 엄마 빨리 보고 싶어서 먼저 갔어 미안." 은하가 말했어.

이틀 후, 윤하와 가족들은 다시 서울로 돌아갔어.

#작가의 말

이야기는 잘 읽으셨나요? 과연 윤하는 무엇을 보고 돌담을 따라간 것일까요? 또 자연은 다시 돌아왔을까요? 이것과 뒷이야기는 여러분들의 상상에 맡기겠습니다. 여러분은 책을 만들어 보고 싶다고 생각한 적 있나요? 저도 책을 한번 만들어보고 싶어서 이 프로젝트에 신청했습니다. 저는 이 이야기를 상상하면서 썼지만 저도 쓰면서 사람들이 계속해서 플라스틱을 사용하거나 나무를 자르면 이 이야기의 일부분은 사실이 될 수도 있다는 걸 알려주고 싶었어요. 그래서 저는 이 이야기를 모두한테 보여주고 싶어요 제 책을 읽어주셔서 감사합니다.

#백하린

KIS Jeju G3

안녕하세요? 제 이름은 백하린입니다.

저는 2014년 6월생입니다. 제 취미는 무용을 하는 것입니다. 어렸을 때 이모 집에 가서 봉 댄스를 춰서 가족 모두가 즐거워했었습니다. 저는 두바이로 여행을 가고 싶고, 동물 중에는 거북이를 제일 사랑합니다. 저는 아빠가 올 때가 제일 좋습니다. 왜냐하면 나는 아빠랑 전쟁을 하기 때문입니다. 아빠의 공격은 뽀뽀입니다. 제 공격은 머리카락 뽑기입니다. 저희들이 만든 책을 많이 읽어주시면 감사하겠습니다.

강돌이와 빵순이와 똥구리
(아빠와 엄마와 나)

나는 제주에서 '덕수리'라는 곳에서 살고 있습니다.

나는 주택에서 행복한 하루를 보내고 있습니다.

나는 내가 살고 있는 집이 참 좋습니다.

하지만 가끔씩은 안 좋은 하루도 있습니다.

반갑지 않은 지네나 큰 바퀴벌레가 나타나기도 합니다.

제주에 처음 와서 지네를 봤을 때는 나도 엄마도 집 안이 다 울리도록 "으악!" 소리를 질렀지만

지금은 나는 소리 지르고 엄마는 '응 잡어!'라고 말합니다.

내가 제일 좋아하는 음식은 엄마가 직접 해주는 떡볶이 입니다. 정말 맛있습니다.

다른 곳에서 사 먹는 것은 노노입니다.

내가 좋아하는 색깔은 핑크색이었습니다. 그러다 파란색으로 바뀌더니 갑자기 초록색이 좋아질 것 같은 느낌이 듭니다.

왜냐하면 제주 풍경에 초록색과 파란색이 많아서 그런가 봅니다.

나는 외동입니다.
　언니나 동생이 있으면 좋겠지만
외동인 것도 좋은 것 같습니다.

　친구 민선이를 보니 동생에게
괴롭힘을 많이 당하는 것 같았습
니다.

나는 꽃도 좋아합니다.
그중에서도 튤립이랑 해바라기가 좋습니다.
그래서 우리 정원에 튤립이랑 해바라기를 심고 싶습니다.

　나는 오늘도 참 좋은 제주 우리 집에서 행
복하게 살고 있습니다.

#작가의 말

안녕하세요!

저는 이 글을 쓰면서 저희 집에 대해 더 많이 알게 되었습니다. 저는 처음에 우리 집 그림을 잘 그릴 수 있을까라는 생각이 들었습니다. 그런데 그리고 나니 꽤 마음에 들었습니다. 저희 집이 더 예쁘지만요. 저의 글이 어땠나요? 그러면 많이 좋아해 주세요. 감사합니다.

#안소윤

SJA Jeju G4

안녕! 난 고양이와 일러스트를 좋아하는 안소윤이야!

나한테는 아홉 살 터울인 남동생이 하나 있고, 정말 지긋지긋해.

난 2013년생이야. 내가 제일 좋아하는 동물은 고양이이고 제주에 있는 SJA
에 다녀. 난 그림 그리기, 노래 부르기, 수다떨기를 좋아해. 그리고 싫어하는 건
벌레, 지우개 가루, 엄마의 잔소리, 그리고 내 남동생이야.

내가 쓴 글은 내가 정말 지긋지긋하게 여기는 남동생의 이야기야.

온 세상 첫째들 다 모여라.

도리야 너 언제 클래?

나는 내 남동생이 싫다. 정말, 엄청, 많이 싫다.

근데 우리 남동생은 나를 좋아한다. 왠지는 모르겠다.

우리 남동생 도리는 엄마 웅미를 제일 좋아하고 그다음은 나다.

아빠는 아프리카에서 일하신다.

어쨌든 내가 도리를 싫어하는 이유는 몇 가지가 있다.

한번은 도리가 씻고 나와서 내 방에서 놀다가 오줌을 쌌다. 그래서 정말 화가 나서 도리한테 소리를 질렀더니 엄마는 "실수로 그럴 수도 있는데 왜 그래?" 하며 나에게 화를 냈다.

또 한 번은 도리가 내 방에 왔을 때 생긴 일이다.

내가 의자에 앉아 그림을 그리고 있었는데 도리가 갑자기 들어와 의자 위 발판에 올라서서 내가 그림 그리는 걸 구경했다.

그래서 솔직히 그림 그리기가 진짜 부담스러웠다.

어쨌든 도리가 계속 보다가 스스로 균형을 잃고 의자에서 떨어졌다.

도리는 울기 시작했고 엄마는 바로 달려오셨다.

"너가 밀어서 그랬지!!"

정말 어이없다. 엄마는 도리가 내 근처에 있다가 울기만 하면 죄다 내가 도리를 못살게 구는 거라고 생각하신다.

그러니까 지금 이 글을 읽는 엄마! 내가 도리에게 일부러 해를 입히는 일은 아주 조금 가끔씩만 있다는 걸 기억해 줘!

그래도 도리와 함께 있어서 위안이 된 적도 많다.

한 예로 이건 내가 작년 12월에 호텔에 갔을 때의 이야기다. 그때 난 새벽에 잠에서 깼는데 사람들이 소리를 지르고 싸우는 소리가 들렸다.

무서워서 엄마와 아빠를 찾아봤지만 아무도 없고 내 옆엔 나와 함께 자던 도리가 있었다.

너무너무 무서웠고 위층의 소리는 점점 더 커졌다. 그나마 내 옆에 자고 있던 도리가 있어서 덜 무서웠던 거지 그때 아무도 없었다면 난 너무너무 무서워서 기절했을 거다.

위층에서 소리 지르는 소리가 들릴 때마다 난 도리의 손을 꼭 잡았다. 그리고 한 시간쯤 지났을 때 난 도리에게 '고마워'라고 중얼거리며 잠에 들었다.

그날 이후로 난 도리에 대한 적대심을 조금 버리고 대신 그 자리에 도리에 대한 고마움으로 채워 넣었다.

이것으로 도리가 나를 힘들게, 또 위안이 되게 만든 이야기들이 끝났다.

비록 지금 내 동생 도리는 여전히 귀찮고 지긋지긋하지만 조금만 있으면 낸 소중한 친구이자 타고난 심부름꾼이 될 것이니, 지금도 소중히 아껴주어야겠다.

#작가의 말

안녕하세요? 저는 이 이야기를 쓴 별로 운이 없는 첫째입니다. 자기소개에서는 반말을 썼는데 왜 이제 와서 존댓말을 쓰는지는 잘 모르겠지만 어쨌든 써 봅니다. 이 이야기를 쓰면서 도리와의 이야기들이 많이 떠올라 웃기기도 하고 어이없기도 하고 행복하기도 했습니다.

어쨌든 나중에 도리가 커서 이 책을 본다면 정말 재미있고 또 소중한 경험이 될 것 같습니다. 이 책 만들기 프로젝트로 TV 출연, 미디어아트 만들기를 이어 세 번째 소중한 경험을 할 수 있게 되어 너무 감사하고요.

마지막으로 엄마! 아빠! 도리야 사랑해(하트)

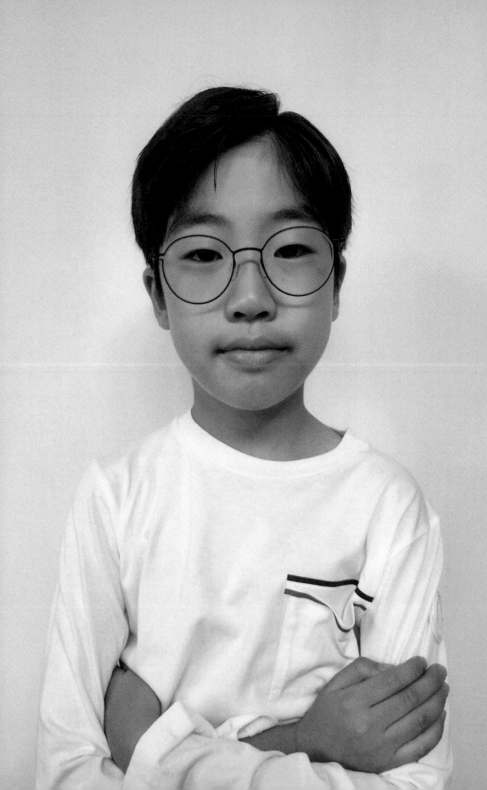

#윤성빈

KIS Jeju G3

안녕하세요. 저는 윤성빈입니다. 저는 열 살이고요. 말 띠고요. 서울이 고향이에요. 사촌 동생이 두 명 있고요. 그중 한 명은 저처럼 제주도에 살아요. 일곱살에 제주로 이사 왔어요. 가장 좋아하는 식당은 '젠 하이드 어웨이'에요. 과자는 '꽃게랑'을 좋아해요. 저는 책을 좋아하고, 술래잡기, 얼음 땡, 그리고 닌텐도 게임도 좋아해요. 캐릭터 중에 '커비'를 좋아해요 학교는 KIS 다녀요. 우유는 상하 우유를 좋아해요. 가수는 태양, 빅뱅 등을 좋아해요. 좋아하는 과일은 수박, 배이고, 좋아하는 채소는 청경채예요. 코브라, 해파리, 산호, 달팽이, 민달팽이, 해삼, 성게, 군소, 그리고 바다토끼를 좋아해요. 탄생석은 에메랄드예요. 근데 오케나이트도 좋아해요. 엄마랑 제주에 살아요.

문을 열면

"어, 뭐지?" 윤성빈은 지금 호텔에 왔다. 그런데 호텔이 너무 커서 방을 찾는데 힘들었다.

"여긴가? 맞겠지?" 문을 열었다.

"어어? 어어? 으아아!"

윤성빈은 문을 열자마자 문 속으로 빨려 들어갔다.

"으 여기가 어디지?"

일어나 보니 뭐 이상한 식물들이 사는 세상에 온 것이 아닌가.

"어? 저건 뭐지?"

점점 검은 그림자가 가까이 왔다.

뭔가 더듬이가 많은 게 말했다.

"뀨우?"

"꺄악! 뭐야 이건! 일단 도망!" 윤성빈은 무언가와의 추격전이 시작됐다.

"앗! 물이다! 어, 어떡하지? 에잇! 몰라! 점프!!!"

엄청 높이 뛰어 물을 건너갔다.

그런데 나무에 다리가 걸려서 나뭇가지가 물에 떨어졌다.

그런데 나뭇가지가 물에 녹아버리는 게 아닌가.

"헉 만약 내가 저 물에 닿았다면…! 윽! 끔찍해…아얏!"

아까 나뭇가지가 발에 긁혔나 보다.

"으… 밴드가… 앗! 나뭇잎! 좀 크지만….

일단 이거라도…."

나뭇잎을 밴드처럼 써서 상처에 붙였다.

"후, 됐…. 어! 어어?"

이때 갑자기 여러 개의 더듬이를 가진 생명체가 성빈이에게 다가왔다.

"오지 마, 저리가!"

하지만 더듬이 하나가 성빈이의 몸에 닿았다.

"어? 으으으아아아"

성빈이가 눈을 떠보니 집이었다.

고양이와 같이 사는 집에.

"어? 꿈이었나?"

다리를 내려보니 상처가 있었다.

배가 고파진 성빈이는 냉장고를 열고 석류를 한입 배어 물었다.

"아 심심해. 뉴스나 봐야지."

TV를 켜니 아나운서가 말했다.

"어제 할라호텔에서 투숙객 한 명이 실종되었습니다. 지

금 경찰들이 실종된 사람을 찾고 있습니다……"

"어, 저거 나잖아. 헐. 경찰서에 가봐야겠어."

성빈은 먹던 석류를 테이블에 놓고, 차를 타고 경찰서를 가기 위해 문을 열었다.

"으아아악!"

성빈은 또 어디론가 빠져들어가고 말았다.

"어 설마 또… 어? 아니네? 여긴 좀 다른데?"

성빈은 절망에 빠졌다.

"안돼!"

#작가의 말

이 책이 잘 팔리면 좋겠습니다. 이 책을 읽고 있는 독자들, 엄마, 같이 쓴 작가들, 그리고 선생님에게 감사합니다. 아, 또 '문을 열면'은 2,3 그리고, 4까지 만들 겁니다. 아무튼 감사합니다. 재미있게 읽어주셔서. 그럼 빠이 바이.

#이자벨 매튜스

NLCS Jeju Y2

안녕하세요. 전 이자벨입니다.

전 '시나모롤' 캐릭터를 좋아해요. 전 남자 동생이 생겼습니다. 이름은 재스퍼입니다. 7월에 예방주사를 맞았습니다.

리버풀에 가고 싶어요

나는 이자벨이에요.

아빠는 영국 사람, 엄마는 한국 사람이에요.

5월에는 남동생 재스퍼가 생겼어요.

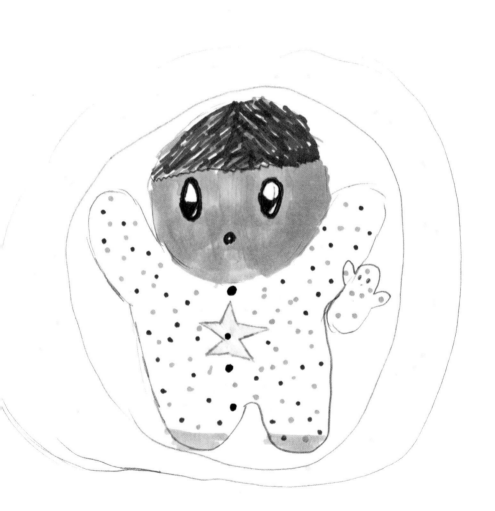

영국 뉴캐슬에는 할아버지와 로리라는 강아지가 함께 살고 있습니다.

　　리버풀에는 큰아버지와 그 가족들, 사촌들이 살고 있습니다.

　　집이 엄청 커요. 진짜 좋아요.

　　할아버지는 로리를 꼭 안아주고

　　로리는 할아버지 귀를 살짝 물어요.

　　서로 사랑해요.

나는 방학이 되면 리버풀에 놀러 가요.

세 명의 사촌들이 있어요.

아주 큰 언니랑 작은 언니, 그리고 한 살 많은 오빠가 있어요

우리는 인형집에서 인형 놀이를 하고, 수영장에서 미끄럼틀을 타고 놀아요.

나는 미끄럼틀이 제일 좋아요.

지금은 재스퍼가 아기라 못 가지만 12월이 되면 재스퍼랑 같이 리버풀에 갈 거예요.

생각만 해도 신나요.

#작가의 말

이 글을 쓰면서 리버풀을 생각할 수 있어서 좋았어요.

같이 수업을 받은 하린 언니, 민선 언니 그림 그리기를 도와줘서 고마워요.

한글 쓰기를 도와준 선생님도 고마워요.

#조우석

새서귀초등학교 1학년

나는 여덟 살, 이름은 조우석입니다.

게임을 좋아해요. 마인크래프트, 브롤스타즈, 로블럭스, 냥코대전쟁, 이 게임들을요. 나는 동화책도 좋아해요. 요즘에 "이세계 여행사2", "코믹 어드벤처1,2"를 읽었어요. 재밌었어요. 그리고 난 왼손잡이에요.

하고 싶은 말이 있어

친구들아 화내지 말아 줘.

화내니까 속상해.

나는 학교에서 친구들과

친하게 지내고 싶어.

나는 화 안 내는 친구가 좋아.

그런데 너희가 화내니까

내가 속상하고 스트레스 받아.

그래서 좋았던 학교가 싫어지려고 그래.

그리고 불편해.

우리 화내지 말고 잘 지내자!

엄마,

나는 엄마가 좋아.

쉬는 시간에는 엄마랑 그림 그리는 게 좋아.

포켓몬 종 치기 놀이할 때도 좋아.

그리고 엄마가 요리해 주는 라면도 맛있어.

아빠,

아빠 그림 못 그린다면서 왜 이렇게 잘 그려?

아빠랑은 밖에 나가서 나는 킥보드 타고, 아빠는 산책하고 하는 게 좋아. 가까운 곳으로 놀러 가는 것도 좋아.

놀이터에서 노는 것도 좋아.

만두야,

너는 너무 귀여워.

그런데 만두야 사고 치지 말아 줘.

너 때문에 아빠가 힘들어해.

#작가의 말

이 책을 만들면서 재미있었어요.
친구들이 이 책을 꼭 봤으면 좋겠어요.

#최시온

KIS Jeju K

저는 신화 월드에 살고 있어요.

어제는 campfire를 했어요.

그런데 벌레가 너무 많았어요, 그래서 싫었어요.

그리고 아빠가 고기를 구웠는데 고기가 다 탔어요.

그래서 오겹살은 못 먹고 삼겹살만 먹었어요.

새벽에 배가 너무 고파서 우유를 엄청 많이 마셨어요.

어느 날 1. 호텔에서

어느 날 나는 호텔에 갔어요. 호텔에서 냉장고 문을 열었더니 그곳이 눈부시게 빛이 났어요.

눈을 떠보니 호텔 TV 안에 들어와있었어요.

옆에는 얼굴을 가린 사람이 서있었어요.

그 사람은 TV에서 살고 있었어요.

그 사람은 저를 보고 깜짝 놀라 달아났어요.

"야, 오지 마!" 얼굴을 가린 사람이 말했어요.

달려가다가 그 사람은 어떤 외딴집 앞에 멈췄어요.

그러고는 그 집으로 들어갔어요.

나는 그 사람을 따라 그 집으로 들어갔어요.

집 안에는 온갖 과일들이 다 있었어요.

과일들은 아무리 먹어도 계속 많아졌어요.

그 사람과 나는 그 안에서 놀며 어느새 친구가 되었어요.

어느 날 2. 미용실에서

나는 어느 날 미용실에 갔어요. 미용실에서 머리를 이상하게 깎았어요. 집에 돌아가는 길에 종이 한 장을 주웠어요. 그 종이에는 이렇게 쓰여있었어요.

'머리카락을 다시 되돌리려면 제 자리에서 세 번 JUMP를 하시오.'

"아, 그래! 나도 그렇게 해야지."

나는 세 번 JUMP를 하고 다시 원래 머리로 돌아왔답니다.

어느 날 3. 비행기에서

오늘은 비행기를 타러 갔어요.

비행기 안에서 juice를 흘렸는데

비행기 바닥에 구멍에 뚫려져 있어서

밑으로 밑으로 떨어졌어요.

그러다 지나가던 새 머리에 부딪치고

결국 새는 죽고 말았답니다.

어느 날 4. 제주도에서

어느 날 어떤 강아지 '아이'가 현무암을 밟았어요.

그런데 현무암에서 빛이 나더니 나무로 변했어요.

'아이'는 나무가 멋있어서 가까이 다가갔어요.

그러다 그만 나무에 빨려 들어가고 말았어요.

한편, 사람들은 '아이'가 없어진 걸 알고 경찰서로 달려

갔어요.

하지만 경찰도 해결하진 못했요.

그래서 사람들은 '아이'가 실종된 자리로 달려갔어요.

하지만 '아이'의 흔적은 온데간데없었어요.

사람들은 도서관, 버스, 택시 등에 광고를 했어요.

그러자 대한민국 모든 사람들이 그 '아이'를 알게 되었
어요.

도둑들도 그 '아이'를 알게 되었어요.

도둑들은 어느 날 그 '아이' 집을 찾아가 외쳤어요.

"내가 왔소. 어서 나오시오."

하지만 그 집에는 아무도 없었어요.

도둑은 부끄러웠어요.

얼굴이 빨개진 채로 '아이'가 실종된 곳으로 간 도둑도 실종되고 말았어요.

그래서 또 도둑도 찾아야 돼요.

#작가의 말

저는 평소에 글을 써본 적이 없어요.
하지만 나쁘지 않은 것 같아요.
책이 나오면 제일 먼저 살 거예요.

꼬마작가 책 만들기 프로젝트 제주 1

꿈꾸는 제주도

ⓒ김규리 김도연 김민선 박하윤 백하린
안소윤 윤성빈 이자벨매튜스 조우석 최시온 2023

발행	2023년 9월 19일
지은이	김규리 김도연 김민선 박하윤 백하린
	안소윤 윤성빈 이자벨매튜스 조우석 최시온
펴낸이	김서령
펴낸곳	책쓰는밤
기획·편집	장미경
디자인	한승희
표지그림	이자벨 매튜스
출판사등록	제 2018-09호
전 화	010-9700-0154
이메일	adjang10@naver.com
인스타그램	@creatively_yours_art_studio
ISBN	979-11-91816-33-4 (73810)